초보편

# 온라인 글쓰기로 수익화만들기

김남희 지음

온라인 글쓰기로 수익화만들기(초보편)

**발 행** | 2024년 1월 8일
**저 자** | 김남희
**펴낸이** | 한건희
**펴낸곳** | 주식회사 부크크
**출판사등록** | 2014.07.15(제2014-16호)
**주 소** | 서울특별시 금천구 가산디지털1로 119 SK트윈타워 A동 305호
**전 화** | 1670-8316
**이메일** | info@bookk.co.kr

ISBN | 979-11-410-6543-0

www.bookk.co.kr

# 온라인 글쓰기로 수익화만들기 (초보편)

김남희 지음

# CONTENT

# 프롤로그

나는 글을 쓰기 위해 이 책을 저술하려고 한다. 하지만 현재의 나는 글쓰기에 대한 경험이 없으며, 어떻게 시작해야 할지 감이 잡히지 않는다. 글자 하나씩 쌓아나가는 작업이 어렵고 복잡해 보인다.
막막한 마음이 내 안을 지배하며, 자신감은 한없이 떨어져만 간다.

나는 왜 글쓰기에 도전하려고 했을까? 그저 다른 사람들과 나의 이야기를 공유하고 싶기 때문일까?
아니면 자신의 생각과 감정을 표현하며 내면의 목소리를 찾고 싶었던 것일까? 어쨌든, 나는 이 마음의 소용돌이에 휩싸여 어떤 것부터 해결해 나가야 할지 알 수 없다

하지만 나는 포기하지 않을 것이다. 이 어려움을 이기기 위해 나 자신에게 도전장을 내밀어 보고자 한다. 나는 이 책을 통해 글쓰기의 세계에 발을 들이고자 한다. 그리고 독자들과 소통하며, 내가 전하고자 하는 이야기를 담아낼 것이다.

가장 먼저 해결해야 할 것은 내 안의 불안과 막막함을 극복하는 것이다. 자신의 능력에 대한 불신과 부정적인 생각을 버리고, 긍정적인 자세를 갖는 것이 중요하다. 나는 완벽하지 않아도 괜찮다는 사실을 받아들여야 한다. 작은 성공을 인정하고, 긍정적인 동기부여를 가져야 한다.

또한, 연습과 경험을 통해 성장해야 한다. 글쓰기는 스킬이다. 처음부터 완벽한 글을 쓸 수는 없다.
그러므로 꾸준한 연습을 통해 나의 글쓰기 스킬을 향상시키고, 다른 사람들의 글을 읽으며 학

습해야 한다.
피드백을 받고 개선해 나가는 과정을 통해 나의 글쓰기를 발전시킬 수 있다.

마지막으로, 자신의 목표와 의도를 명확히 정의해야 한다. 글을 쓰는 이유를 분명히 하고, 그 목표를 향해 나아가야 한다. 자신의 이야기를 표현하고자 하는 주제를 선택하고, 독자들과의 상호작용을 통해 글의 가치를 높일 수 있다.

나는 지금 이 어려움을 극복하고, 글쓰기의 세계에 발을 들이기로 했다. 이 책은 나의 성장과 도전의 기록이 될 것이다. 기대감과 두려움이 서로 얽혀있지만, 나는 포기하지 않을 것이다. 글쓰기의 여정은 시작되었고, 나는 그 시작을 위해 마음을 다잡는다.

프롤로그를 통해 글쓰기를 시작하는데 있어서의 어려움과 막막함을 담아보았습니다. 이제부

터는 이 어려움을 극복하기 위해 자신의 불안과 부정적인 생각을 극복하고, 연습과 경험을 통해 성장하며 목표와 의도를 명확히 정의하는 것이 중요합니다. 글쓰기의 여정은 도전적이지만, 그 안에서 자신의 목소리를 찾고 빛을 발할 수 있을 것입니다.

# 1장 처음 보는 불안감을 인정하기

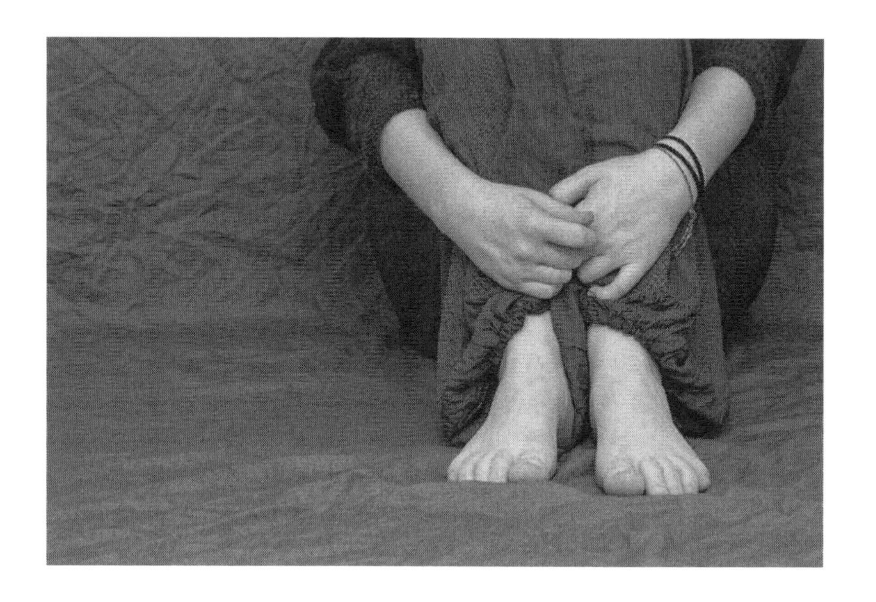

## 글쓰기 초보인 내가 글쓰기를 결심한 이유

잠깐 제 얘기를 해보자면 저는 지금까지 10년 이상 회사에서 월급받으며 출퇴근하는 평범한 직장인의 삶을 살았습니다.
월급을 아무리 받아도 모이지는 않고 급여는 월

급날 통장을 스치기만 할 뿐 공중분해 되어 정작 내 손에 쥐어 보는 것도 없이 나가는 것을 보며 뭔가 지금 바뀌지 않으면 노후까지 여유롭지 못한 삶을 살 수 있겠다 라는 위기의식이 들었습니다

그렇게 지내던 중 글쓰기를 결심하게 된 계기가 있었습니다.
작년 초 뭔가 다른 수입을 만들어야 겠다는 절

박한 마음으로 유투브와 블로그에 관심을 갖게 되었고, 알고리즘이 이끄는 방향으로  열심히 시청하며 유투브나 블로그, 각종 SNS 등 주변에 돈이 되는 부업을 찾고 있던 중 하나의 공통점을 발견할 수 있었습니다.

우리가 살아가는 일상의 모든 것들이 글쓰기가 기반이 되어야 한다는 것을 알게 되었고, 평소 글쓰기가 훈련되지 않은 제게는 너무 어렵게만 느껴졌습니다.

그리고 어떻게 하면 글을 잘 쓸수 있을까에 대해 진지하게 생각하기 시작했습니다.
그런데 이렇게 생각하기 시작하니 너무나 막막했고, 시작하기가 점점 두려워 시작하는 것에 대한 부담감으로 펜을 들 수가 없었습니다

다시 이렇게 부담이 되는 이유가 뭘까에 대해 몇 가지로 생각해 보게 되었습니다.

초보자인데 잘 써야 한다는 부담감
과연 나의 글에 사람들이 관심을 가질까
어떻게 하면 사람들의 공감을 얻을 수 있을까

이렇게 고민을 해본 결과 이 부분만 해결된다면 일단 시작이 가능할 수 있을 거라는 희망이 생겼습니다.

초보자인 나의 현재 위치를 받아들이기

글쓰기에 대한 열정과 의지를 가지고
시작하기로 한 내 자신에게 시작하기로 결심한
것만으로도 작은 성공에 의미를 두어 칭찬을
하기로 했습니다.

글쓰기는 일상의 전반적인 부분에서 가장
기본이 되는 기술입니다.

효과적인 의사소통과 아이디어 전달을 위해
필수적인 기술이므로 현재 글쓰기에 대한
경험이 부족하지만, 이제서야 글쓰기의
중요성을 깨달았다는 것이 이미 큰 성장을
이루기 위한 작은 성장이라고 생각합니다

글쓰기가 습관화 되지 않은 경우 글쓰기에 대한
경험이 없다는 것은 당연한 일이며, 그저
시작하는 단계일 뿐입니다. 어떤 분야에서든
처음부터 모든 것을 완벽하게 할 수는 없습니다.
중요한 것은 시작하는 것과 지속하는 것입니다.
지금 당장 완벽한 글을 쓸 필요는 없습니다.
중요한 것은 나의 의견과 생각을 담아내는 것,
그리고 지속적으로 연습하여 성장하는 것입니다.

글쓰기를 잘하기 위해서는 우선 연습이
필요합니다. 매일 조금씩이라도 글을 쓰는
습관을 갖는 것이 중요합니다.
예를 들어 일기를 쓰거나, 주변의 관찰을

텍스트로 기록하는 것부터 시작해 보는 것도
좋을 거 같습니다
주제를 정해서 글을 쓰는 것도 좋은 방법입니다.

자기소개나 일상 소소한 이야기부터 시작해
보는 것도 방법입니다. 작은 주제에 집중하면서
글을 구성해보며 다른 사람들의 피드백을 들을
수 있도록 가족이나 친구에게 읽어보고 의견을

구해보면 많은 도움이 됩니다

이렇게 실천하다 보면 글쓰기를 연습하는 동안 성장하고 발전할 것입니다. 처음부터 완벽한 글을 쓸 필요는 없습니다. 오히려 실패와

오류를 통해 더 많이 배울 수 있습니다. 자신의 글을 비판적으로 살펴보고, 어떻게 개선할 수 있는지 고민해 보는 것도 방법입니다. 그리고 다른 작가들의 글을 읽어보며 그들의 글쓰기 기술과 스타일에 영감을 받아보는 것도 방법입니다.

길고 힘든 길이 될 수도 있지만, 글쓰기는 각자의 꾸준한 노력을 통해 터득할 수 있는

소중한 기술이므로 자신을 믿고 계속해서
글쓰기에 도전해 보다 보면 어느새 성장하고,
자신의 목표에 한 걸음 더 다가갈 것입니다.
힘들 때는 포기하지 않고, 자신을 격려하며
계속 나아가는 게 중요합니다. 그러면 글쓰기의
여정은 보람찬 여정이 될 것입니다.

## 2장 백지의 공포를 극복하기

글쓰기 분야의 초보자로서 펜을 종이에 대거나 손가락을 키에 대는 것은 쉽지 않을 수 있습니다.
달갑지 않은 동반자처럼 불안감은 종종 창작 과정에 동반되며, 페이지의 빈 캔버스에 그림자를 드리우기도 합니다. 그러나 이 두려움은 작가들 사이에서 초보자든 노련한 작가든 공유된 경험이라는 것을 인식하는 것이 중요합니다. 핵심은 이 두려움을 이해하고 수용하는 데 있으며, 이를 발전의 장애물이 아니라 성장의 촉매제로 사용하는 것입니다.

글쓰기 불안을 극복하기 위한 첫 단계는 자신의 존재를 인정하는 것입니다. 두려움은 자신의 편안한 공간에서 벗어나는 자연스러운 반응입니다. 가장 뛰어난 작가도 한때는 같은 불확실성과 씨름했던 초심자였음을 이해하십시오. 두려움을 자아 발견과 향상의 여정을 시작한다는 신호로 받아들이세요. 이러한 사고방식의 전환은 불안을 글쓰기 오디세이의 장애물에서 소중한 동반자로 변화시킵니다.

완벽주의는 종종 글쓰기 불안을 부채질합니다. 초보자로서, 현실적인 기대를 설정하는 것이 중요합니다. 여러분의 초기 초안이 완벽하지 않을 수도 있고, 그것은 완벽하게 괜찮습니다. 글쓰기는 반복적인 과정이고, 각각의 시도는 향상을 향한 단계입니다. 여러분 자신에게 실수를 하고, 그것들로부터 배우고, 시간이 지남에 따라 여러분의 기술을 다듬을 수 있는 자유를 부여하세요. 불완전성을 받아들임으로써, 여러분은 비현실적인 기준의 마비되는 손아귀로부터 여러분 자신을 해방시킵니다.

일관성은 불안에 대한 강력한 해독제입니다. 글쓰기 루틴을 설정하면 구조감과 친근감이 생깁니다.
매일 또는 일주일에 특정 시간을 글쓰기에 바치면서 작게 시작하세요. 이 습관을 들일수록 미지와 관련된 두려움이 줄어듭니다. 루틴은 편안한 닻이 되어 마음에 창작할 시간이 되었음을 알립니다.
불안을 극복하는 것은 종종 글쓰기의 기념비적인 작업을 관리 가능한 루틴 기반 증분으로 분

할하는 문제입니다.

여러분의 글쓰기 활동을 위한 전용 공간을 만드세요. 이 공간은 방 한 켠, 아늑한 카페, 또는 조용한 공원 벤치일 수 있습니다. 글쓰기를 위한 특정 장소를 지정하는 행위는 여러분의 창의력을 위한 마음의 컨디션 조절에 도움이 됩니다. 여러분이 이 공간에 들어가면, 그것은 여러분의 생각이 자유롭게 흐를 수 있는 공간을 남기고, 외부 세계가 사라지는 성역이 됩니다. 물리적인 공간을 글쓰기와 연관시키는 것은 불안감을 완

.

화하고 집중력을 높일 수 있습니다

여러분의 초점을 최종 결과에서 글쓰기 과정에 내재된 즐거움으로 이동하세요. 여러분의 생각과 생각을 표현하는 행위를 기념하세요. 문장을 만들고, 캐릭터를 만들고, 서사를 엮는 것에서 즐거움을 찾으세요. 글쓰기가 스트레스의 원천이 아니라 즐거움의 원천이 될 때, 불안은 그것을 잡습니다.

## 3장 자기 의심의 이해 및 관리

### 생각이 멈췄을 때의 해결방법

글쓰기는 창의적인 과정이지만, 때때로 우리의 생각이 멈추는 경우가 발생합니다. 이와 같은 상황에서는 여러 가지 방법을 활용하여 문제를 해결하고 글쓰기를 계속할 수 있습니다.
아래에는 이러한 상황에서 활용할 수 있는 몇 가지 방법을 예를 들어 알려드리고자 합니다

휴식과 산책을 이용하는 방법입니다. 글쓰기를 하다가 머리가 복잡해지거나 생각이 멈추면, 잠시 휴식을 취하고 마음을 정리하는 것이 도움이 될 수 있습니다. 짧은 산책을 통해 신선한 공기를 마시며 몸을 움직이는 것은 창의성을 자극하고 아이디어를 떠올리는 데 도움이 될 수 있습니다. 특히, 자연 환경에서의 산책은 더욱 효과

적일 수 있습니다.

심호흡, 명상 또는 요가와 같은 마음 챙김 연습은 정신적 스트레스를 완화하고 창의력을 높일 수 있습니다. 차분하고 집중적인 사고 방식을 만들기 위해 이러한 기술을 여러분의 일과에 포함시키세요. 마음의 수다를 잠재우는 것으로, 여러분은 새로운 생각과 생각이 떠오를 수 있는 공간을 만듭니다.

마인드 맵을 작성하는 방법을 활용해 보세요. 생각이 멈추는 상황에서는 주제를 중심으로 원형 도표를 그리고, 그 주제와 관련된 아이디어, 키워드, 연상되는 단어들을 추가하는 것이 도움이 될 수 있습니다. 이를 통해 아이디어의 흐름을 더욱 명확하게 파악할 수 있으며, 새로운 아이디어를 발견하거나 기존의 아이디어를 확장하는 데 유용할 수 있습니다.

자유롭게 쓰는 것을 시도해 보는 것도 좋습니다. 일정 시간 동안 멈추지 않고 글을 써내려 가는 것입니다.
이 과정에서 새로운 아이디어나 관련된 내용이 떠오를 수 있습니다. 이 방법은 초안을 작성하는 것이 목표가 아니라, 아이디어를 자유롭게 표현하고 발산하는 것에 초점을 맞추고 있습니다. 상상력을 자극하기 위해 새로운 아이디어와 관점을 자극하여 자유롭게  마음을 이끌 수 있습니다.

연상 기법을 활용하는 방법입니다. 생각이 멈춘 경우 주어진 주제와 관련된 이미지, 사진, 음악 등을 찾아보세요. 이들을 통해 감각적인 자극을 받고 아이디어를 얻을 수 있습니다. 예를 들어, 관련된 이미지를 찾아보면 시각적으로 자극을 받아 새로운 아이디어를 떠올릴 수 있습니다.

다른 사람들과 함께 서로 다른 시각과 아이디어

를 공유하면, 보다 다양한 아이디어를 얻을 수 있으며, 다른 사람들의 의견이 아이디어 발전에 도움이 될 수 있습니다.

글쓰기에 집중할 수 있는 조용하고 편안한 환경을 조성하는 것이 중요합니다. 분위기 있는 음악이나 조용한 자연 소리, 향기로운 향을 활용하여 창의성과 집중력을 높일 수 있습니다.
글을 쓰는 것은 과정이고, 실수해도 괜찮다는

것을 이해합니다. 학습 경험을 수용하고, 각각의 글쓰기를 개선의 기회로 활용합니다.

글쓰기는 시간이 지남에 따라 발전하는 기술임을 기억하고 인내심을 갖고 연습을 계속하다보면 여러분이 쓴 각각의 글은 작가로서의 여러분의 성장에 기여할 것입니다.

# 4장 작은 성공으로 자신감 회복하기

## 긍정적 글쓰기 나만의 루틴 만들기

작은 목표로 시작하는 것입니다. 큰 목표를 설정하면 그 목표를 달성하기까지의 길이 멀고 험난해 보일 수 있습니다. 이로 인해 자신감을 잃을 수 있습니다. 따라서 작은 목표를 세우고 이를 조금씩 달성해 나가는 것이 중요합니다. 예를 들어, 매일 10분씩 글을 쓰는 것부터 시작해 보세요. 작은 성취를 경험하면서 자신감을 키울 수 있습니다. 이 작은 목표를 달성하는 것이 큰 성취감을 가져다 줄 것입니다.

자유로운 쓰기 연습을 하는 것입니다. 자유로운 쓰기는 글쓰기에 대한 자신감을 키우는 데 매우 효과적입니다. 특정 주제에 대해 생각하고 그것을 자유롭게 쓰는 연습을 해보세요. 이때는 완벽한 문장이나 구조를 고려하지 않고 자유롭게 표현하는 것에 집중해야 합니다. 글을 통해 자신의 생각과 감정을 솔직하게 표현하는 방법을 익힐 수 있습니다. 자유로운 쓰기를 통해 단어와 문장들이 자연스럽게 흘러나오는 경험을 쌓아보는 것도 좋은 방법입니다

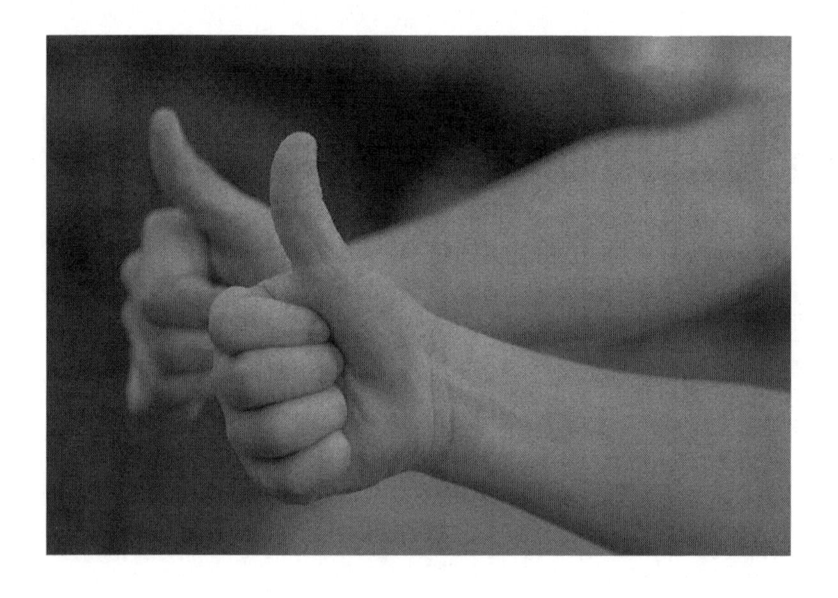

긍정적인 자기 대화를 유지하는 것입니다. 글쓰기를 하면서 자신에 대해 부정적인 생각이 들

때가 있을 수 있습니다. 하지만 그럴 때는 긍정적인 자기 대화를 하도록 노력해야 합니다. 글쓰기는 창의력과 표현력을 발휘하는 과정이므로, 자신의 작품에 대해 칭찬하고 격려하는 말을 스스로에게 해보세요. "내 글은 가치 있는 표현이다"라는 자기 대화를 하면 자신감이 향상될 것입니다. 자신을 응원하고 긍정적인 에너지를 유지하는 것이 중요합니다.

다른 사람의 글을 읽는 것입니다. 다른 사람들의 글을 읽으면서 그들의 글쓰기 스타일과 기술을 배울 수 있습니다. 우수한 작품들을 읽으면서 그 안에서 영감을 받고 자신의 글쓰기를 향상시킬 수 있는 아이디어를 얻을 수 있습니다. 다양한 장르와 스타일의 글을 읽어보며 자신에게 맞는 글쓰기 방식을 찾아보세요. 이를 통해 자신의 글쓰기에 대한 자신감이 높아질 것입니다.

피드백을 받는 것입니다. 자신의 글을 다른 사람에게 보여주고 피드백을 받는 것은 성장하는데 큰 도움이 됩니다. 가족, 친구, 또는 글쓰기 그룹에서 피드백을 요청해보세요. 다른 사람의 의견과 조언을 듣고 자신의 글을 개선하는 과정에서 자신감이 향상될 것입니다. 피드백은 새로운 관점을 제시해주고, 자신의 작품을 발전시킬 수 있는 소중한 도움이 됩니다.

이렇게 작은 목표로 시작하고 자유로운 쓰기 연습을 하며 긍정적인 자기 대화를 유지하고, 다른 사람의 글을 읽고 피드백을 받으면서 글쓰기에 대한 자신감을 키워나가세요. 시작은 어렵지만 꾸준한 연습과 긍정적인 자세로 자신의 글쓰기 능력을 향상시킬 수 있습니다. 자신의 목소리를 발견하고 발전하는 글쓰기의 여정을 즐기면서 성장하시기 바랍니다.

# 5장 완벽주의의 포기

## 완벽하지 않아도 괜찮은 이유

우리는 모두 인간이며, 완벽하지 않을 수밖에 없습니다. 우리는 실수를 하고, 부족한 점이 있습니다. 이는 인간의 본성이며, 받아들여져야 합니다. 완벽을 추구하는 것은 현실적으로 불가능하며, 그렇게 되면 우리는 불필요한 스트레스를 받게 될 수 있습니다.

완벽하지 않은 측면이 있는 것은 우리에게 학습과 성장의 기회를 제공합니다.
우리가 실패하거나 실수할 때, 그것을 반성하고 개선해 나갈 수 있습니다. 완벽하지 않음을 받아들이고 자신의 부족한 점을 인정하면, 자기 성장과 발전에 더 많은 기회를 얻을 수 있습니다.

완벽한 것을 추구하는 태도는 자율성과 창의성을 억제할 수 있습니다. 완벽한 결과를 얻으려면, 자유로운 실험과 창의적인 시도를 할 수 없게 됩니다. 반면, 완벽하지 않음을 받아들이고 실패에 대한 두려움을 극복하면, 우리는 새로운 아이디어를 시도하고 혁신을 이룰 수 있습니다.

완벽한 존재가 되려는 욕구는 우리와 다른 사람들과의 관계를 어렵게 만들 수 있습니다. 다른 사람들과 연결하고 소통하려면, 우리의 취약한 면과 부족한 점을 받아들여야 합니다.
완벽하지 않음을 인정하고 다른 사람들과의 관

계에서 서로를 이해하고 지지해주는 것이 중요합니다.

완벽을 추구하는 것은 끝이 없는 과정이기 때문에, 우리는 결코 완벽함을 경험할 수 없습니다. 그러나 완벽하지 않음을 받아들이고 자신을 받아들일 때, 우리는 더 큰 행복과 만족을 느낄 수 있습니다. 우리 자신을 사랑하고 받아들이는 것은 보다 긍정적인 자아 개발과 자기 수용을 이끌어내며, 이는 우리의 삶에 긍정적인 영향을 미칩니다.

이러한 이유들로 인해 완벽하지 않아도 괜찮다고 말할 수 있습니다. 완벽을 추구하는 것보다는 자신을 받아들이고 발전하는 데 집중함으로써, 더 행복하고 의미 있는 삶을 살아갈 수 있습니다.

## 현재의 나를 받아들이기

완벽은 주관적인 개념이므로 사람마다 해석이 다를 수 있습니다. 자신이 완벽하다고 생각하는 기준을 되돌아보고, 현실적으로 이를 달성하기 어려운 부분이 있는지 고려해 보세요. 완벽함을 추구하는 것이 실질적인 가치를 제공하는지 다시 한 번 고찰해 보는 것이 중요합니다.

완벽주의적인 생각과 행동에 대한 인식을 조정하세요. 완벽을 추구하는 태도는 실수나 실패에 대한 용인을 어렵게 만들 수 있습니다. 하지만 우리는 인간이며, 완벽하지 않을 수밖에 없습니다. 실수와 실패는 성장과 학습의 기회로 받아들이는 것이 중요합니다. 완벽을 포기하고 자신을 받아들이는 자세를 가지세요.

목표를 현실적이고 구체적으로 설정하세요. 완벽주의자는 종종 너무 높은 목표를 세우거나 세

부적인 계획에 집착하기 쉽습니다. 이를 방지하기 위해 목표를 현실적으로 설정하고 단계적으로 접근하는 것이 좋습니다. 구체적이고 측정 가능한 목표를 세우고, 이를 달성하기 위한 작은 단계들을 계획해 보세요. 이를 통해 완벽을 추구하는 대신 합리적인 성취를 경험할 수 있습니다.

완벽주의적인 생각에 대한 대안적인 사고 방식을 개발하세요. 완벽을 추구하는 것 대신 개선

과 성장에 집중하는 사고 방식을 채택해 보세요. 자신의 노력과 발전에 초점을 맞추고, 실패를 배움의 기회로 삼을 수 있도록 노력해 보세요. 어떤 일이든 완벽하지 않아도 되며, 중요한 것은 지속적인 성장과 개선입니다.

자기 자신에 대한 자비로운 태도를 갖추세요. 완벽주의자는 자기 자신에게 너무 엄격하고 비판적일 때가 많습니다. 자신에 대한 자비와 이해를 갖고, 자신을 받아들이고 사랑하는 자세를 갖추세요. 완벽하지 않음을 인정하고 자신을 위한 존중과 돌봄을 실천하는 것이 중요합니다.

완벽주의를 포기하는 과정을 통해 더 행복하고 자유로운 삶을 살 수 있으며, 성장과 발전을 이룰 수 있습니다. 완벽함을 추구하는 대신 현실적인 목표를 향해 나아가고, 자기 자신을 받아들이며, 성장과 개선에 초점을 맞춰 보길 바랍니다

글쓰기는 여행이며, 초보자들에게 단어와 아이디어의 광활한 풍경을 탐색하는 것은 흥미롭고 힘든 일일 수 있습니다. 매혹적인 콘텐츠를 만드는 열쇠 중 하나는 독자들에게 공감을 불러일으키는 매력적인 글쓰기 스타일을 개발하는 것에 있습니다. 개인적인 일화, 단순함, 대화 톤을 통해 관련성과 참여성을 강조하면서 초보자를 위한 효과적인 글쓰기 방법을 탐구합니다.

우선, 관련 있는 주제를 선택하는 것이 매력적인 글쓰기의 기본입니다. 초보자는 자신의 경험을 반영하거나 일상적이고 공통적인 것을 활용하는 주제로 이끌어야 합니다. 독자가 글에 자신의 삶이 반영된 것을 보면 즉각적인 연관성이 형성됩니다. 예를 들어, 새로운 기술을 배우거나 변화에 적응하는 어려움을 극복하는 비슷한 상황에 직면한 독자의 마음을 사로잡을 수 있습니다.

게다가, 개인적인 일화들을 포함하는 것은 글에 진정성을 불어넣어, 그것을 더 친숙하게 만듭니다.
개인적인 이야기들을 공유하는 것은 독자들이 공감할 수 있는 취약함을 만듭니다. 그것이
유머러스한 사건을 이야기하는 것이든, 개인적인 성장의 순간을 되돌아보는 것이든, 이러한 일화들은 글을 인간화함으로써, 단순한 단어들의 구성이 아니라 진정한 경험들로 엮어진 이야기를 만듭니다. 이 접근법은 초보자들이 청중들과 이해의 다리를 놓도록 돕습니다.

언어의 단순함은 초급 글쓰기의 매력을 향상시키는 또 다른 중요한 요소입니다. 명료하고 간단한 언어는 메시지가 쉽게 이해되도록 보장하여 독자들이 압도당하는 것을 방지합니다. 초급자들은 복잡한 어휘와 복잡한 문장의 유혹을 피해야 하며, 대신 모든 수준의 독자들을 환영하는 스타일을 선택해야 합니다. 이러한 단순함은

포괄성을 키워 더 많은 청중이 내용에 참여하도록 초대합니다.

대화 톤은 초급 글쓰기의 매력을 한층 더 높입니다. 글쓴이는 직접 독자에게 말을 걸어주고

친근하고 접근하기 쉬운 문체를 채택함으로써 작가와 청중 사이의 장벽을 허물었습니다. 이는 마치 작가가 직접 독자에게 이야기를 안내하는 것과 같은 친밀감을 형성합니다. 질문과 답변도 글 곳곳에 뿌려져 독자가 자신의 경험을 되돌아보고 대화에 적극적으로 참여하도록 독려할 수 있습니다.

결론적으로, 초보자로서 매력적인 글쓰기는 상대성, 개인적인 일화, 단순함, 대화 톤의 의도적인 조합을 포함합니다. 설득력 있는 서사를 만드는 여정은 단순히 단어를 묶는 것이 아니라 독자에게 공감을 불러일으키는 경험을 창조하는 것입니다. 이러한 요소들을 수용함으로써, 초보자들은 그들의 청중을 사로잡을 뿐만 아니라 의미 있는 연결을 위조하는 글쓰기 모험을 시작할 수 있습니다.

# 에필로그

이 책을 마지막까지 읽어주셔서 감사합니다. 글쓰기는 처음 시작할 때 많은 사람들에게 어려움을 주는 과제입니다. 막막함과 혼란스러움은 자연스러운 일이지만, 이 책을 통해 많은 도움을 받으셨을 것이라 믿습니다.

처음부터 글쓰기를 완벽하게 할 수 있는 사람은 없습니다. 모든 작가들은 처음부터 많은 어려움을 겪으며 성장해왔습니다. 그렇기 때문에 당신이 처음에 어려움을 느낀다는 것은 전혀 이상한 일이 아닙니다.
중요한 것은 그 어려움을 극복해 나가는 과정에서 성장하고 발전하는 것입니다.

이 책에서는 글쓰기를 처음 시작하는 사람들을

위해 어떤 것부터 해결해나가야 할지에 대해 다양한 방법과 조언을 제시했습니다. 자신의 글쓰기에 대한 부담을 덜고, 자유로움을 유지하는 방법부터 시작하여 작은 목표 설정, 다른 사람들과의 공유, 긍정적인 자기 대화 등을 다루었습니다.
이 책을 통해 여러분은 자신의 글쓰기에 대한 자신감을 키우고, 처음에 겪는 막막함을 극복할 수 있는 기술과 마음가짐을 얻게 되었을 것입니다. 글쓰기는 창의력과 표현력을 발휘하는 과정이기도 하지만, 그 이상으로 자신을 표현하고 세상과 소통하는 소중한 수단입니다.

이제 여러분은 '글쓰기 처음에 어려운 이유 막막함'이라는 도전을 극복하고, 자신의 글쓰기 여정을 시작할 준비가 되었습니다. 이 책을 읽으며 얻은 지식과 힘을 바탕으로 자유롭게 글을 쓰고, 자신의 목소리를 세상에 펼쳐보세요.

글쓰기는 끊임없이 연습하고 발전해야 하는 과정입니다. 두려움과 어려움을 떨쳐내고, 자신의 글쓰기에 대한 자신감을 가지고 나아가세요. 어려운 순간들이 있을 수 있지만, 그 속에서 성장하고 발전하는 여정이 펼쳐질 것입니다.

마지막으로, 여러분의 글쓰기 여정이 행복하고 의미 있는 시간이 되기를 진심으로 바랍니다. 자신의 생각과 감정을 담아낸 글이 많은 사람들에게 영감과 위로를 주기를 바라며, 여러분의 글쓰기에 행운이 함께하기를 기원합니다.

Thank You!